芭比亲子故事

升级版

小公主成长故事

美国美泰公司／著　海豚传媒／编

長江出版傳媒｜长江少年儿童出版社

图书在版编目(CIP)数据

小公主成长故事 / 美国美泰公司著；海豚传媒编. -- 武汉：长江少年儿童出版社，2015.5
（芭比亲子故事升级版）
ISBN 978-7-5560-2315-8

Ⅰ. ①小… Ⅱ. ①美… ②海… Ⅲ. ①儿童文学—图画故事—美国—现代 Ⅳ. ①I712.85

中国版本图书馆CIP数据核字(2015)第056121号
著作权登记号：图字 17-2013-182

小公主成长故事

美国美泰公司 / 著　海豚传媒 / 编
责任编辑 / 傅一新　佟　一
装帧设计 / 黄　珂　美术编辑 / 杨　念
出版发行 / 长江少年儿童出版社
经销 / 全国新华书店
印刷 / 广东广州日报传媒股份有限公司印务分公司
开本 / 889×1194　1/20　5印张
版次 / 2017年5月第1版第2次印刷
书号 / ISBN 978-7-5560-2315-8
定价 / 16.80元

策划 / 海豚传媒股份有限公司（17061200）
网址 / www.dolphinmedia.cn　邮箱 / dolphinmedia@vip.163.com
阅读咨询热线 / 027-87391723　销售热线 / 027-87396822
海豚传媒常年法律顾问 / 湖北珞珈律师事务所　王清　027-68754966-227

目录

火凤凰传奇

mǒu gè qīng chén　bái yún gōng zhǔ ōu ruò lā zǎo zǎo de qǐ chuáng le　tā hé xiǎo
某个清晨，白云公主欧若拉早早地起床了，她和小
yīng kē sī mò yì qǐ lái dào bái yún chéng bǎo de lù tái　děng dài zhāo yáng shēng qǐ　kě
鹰科斯莫一起来到白云城堡的露台，等待朝阳升起。可
shì guò le hǎo jiǔ　tài yáng hái shì méi yǒu shēng qi lai
是过了好久，太阳还是没有升起来。

zhè shí　zǒng shì bàn suí zhe rì chū hé rì luò tiào wǔ de jīn suō yín suō men　fēi
这时，总是伴随着日出和日落跳舞的金梭银梭们，飞
dào le bái yún chéng bǎo　tā men gào su ōu ruò lā　huǒ fèng huáng bú jiàn le　suǒ yǐ
到了白云城堡。她们告诉欧若拉，火凤凰不见了，所以
dà jiā kàn bú dào tài yáng le
大家看不到太阳了。

欧若拉决定去火凤凰的栖息地看一看。她点燃一支火把，和科斯莫一起，朝光明树出发了。可是到了那里，也没有发现火凤凰的踪影。

他们只看到光明树底下散落着一堆火凤凰的羽毛。科斯莫把羽毛收集起来，他认为这件事肯定和邪恶的女巫伊斯瑞尔有关。

ōu ruò lā hé kē sī mò wèi le nòng qīng shì
欧若拉和科斯莫为了弄清事
qing de zhēnxiàng jué dìng qīn zì dào yī sī ruì ěr de
情的真相，决定亲自到伊斯瑞尔的
chéng bǎo zǒu yí tàng dāng tā men zǒu jìn qī hēi de
城堡走一趟。当他们走进漆黑的
chéng bǎo shí gāng hǎo tīng jiàn le yī sī ruì ěr cì
城堡时，刚好听见了伊斯瑞尔刺
ěr de xiào shēng hā hā gǎn zǒu le huǒ fèng huáng
耳的笑声："哈哈！赶走了火凤凰，
wǒ jiù shì hēi yè nǚ wáng le
我就是黑夜女王了！"

ōu ruò lā dà shēng de zhì wèn yī sī ruì ěr
欧若拉大声地质问伊斯瑞尔
huǒ fèng huáng zài nǎ er què méi yǒu dé dào rèn hé
火凤凰在哪儿，却没有得到任何
dá àn
答案。

欧若拉和科斯莫只得离开城堡，在漆黑的世界中，摸索着前进。突然，欧若拉眼前出现了火凤凰的影子。她对欧若拉说：“伊斯瑞尔放逐了我，我只好飞到火焰山栖身。披上我的魔法羽毛，它们会带你来到这儿。”

kē sī mò zhī qián shōu jí de huǒ fèng huáng yǔ máo pài shàng
科斯莫之前收集的火凤凰羽毛派上
yòng chǎng le ōu ruò lā jiāng tā men pū zài dì shang tāo chū suí
用场了，欧若拉将它们铺在地上，掏出随
shēn dài de zhēn xiàn hěn kuài jiù féng zhì chū yí jiàn liàng shǎn shǎn de
身带的针线，很快就缝制出一件亮闪闪的
dǒu peng
斗篷。

ōu ruò lā jiāng dǒu peng pī dào jiān shang qīng qīng de niàn qǐ
欧若拉将斗篷披到肩上，轻轻地念起
le zhòu yǔ yí zhèn huǒ guāng shǎn guò ōu ruò lā hé kē sī mò
了咒语。一阵火光闪过，欧若拉和科斯莫
fēi le qǐ lái tā men fēi dào huǒ yàn guó lái dào yí zuò mào
飞了起来。他们飞到火焰国，来到一座冒
zhe yán jiāng de zhuī xíng huǒ shān miàn qián
着岩浆的锥形火山面前。

这里就是火凤凰说的火焰山了！可是，欧若拉的脚刚一沾地，火焰山就开始隆隆作响，像是刚从睡梦中惊醒一样，瞬间喷发出大量的火焰。

火光很快就罩住了欧若拉和科斯莫！两名勇士不顾危险，奋力向前冲去，终于从火花丛中穿了出来。

他们来到火焰山入口，一道火墙挡住了去路。欧若拉从斗篷扯下一根羽毛，插进火墙中。火墙左右分开了，留出一条路供他们通过。

还没走几步，脚下的大地突然开始塌陷。欧若拉又扯下一根羽毛投入火焰河中，羽毛变成一叶扁舟。欧若拉和科斯莫跳上小船，继续前行。

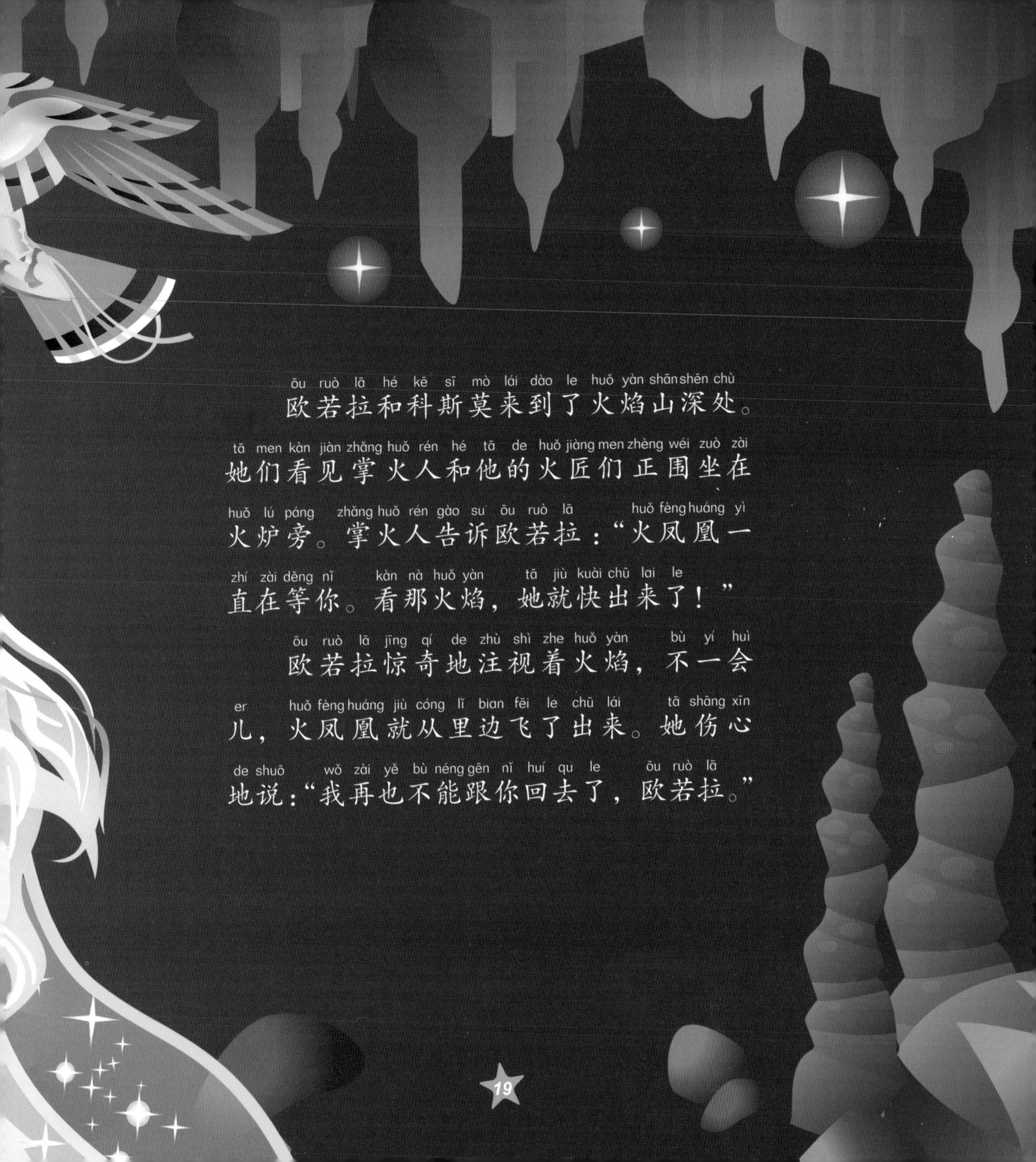

ōu ruò lā hé kē sī mò lái dào le huǒ yàn shān shēn chù
欧若拉和科斯莫来到了火焰山深处。
tā men kàn jiàn zhǎng huǒ rén hé tā de huǒ jiàng men zhèng wéi zuò zài
她们看见掌火人和他的火匠们正围坐在
huǒ lú páng zhǎng huǒ rén gào su ōu ruò lā huǒ fèng huáng yì
火炉旁。掌火人告诉欧若拉："火凤凰一
zhí zài děng nǐ kàn nà huǒ yàn tā jiù kuài chū lai le
直在等你。看那火焰，她就快出来了！"

ōu ruò lā jīng qí de zhù shì zhe huǒ yàn bù yí huì
欧若拉惊奇地注视着火焰，不一会
er huǒ fèng huáng jiù cóng lǐ bian fēi le chū lái tā shāng xīn
儿，火凤凰就从里边飞了出来。她伤心
de shuō wǒ zài yě bù néng gēn nǐ huí qu le ōu ruò lā
地说："我再也不能跟你回去了，欧若拉。"

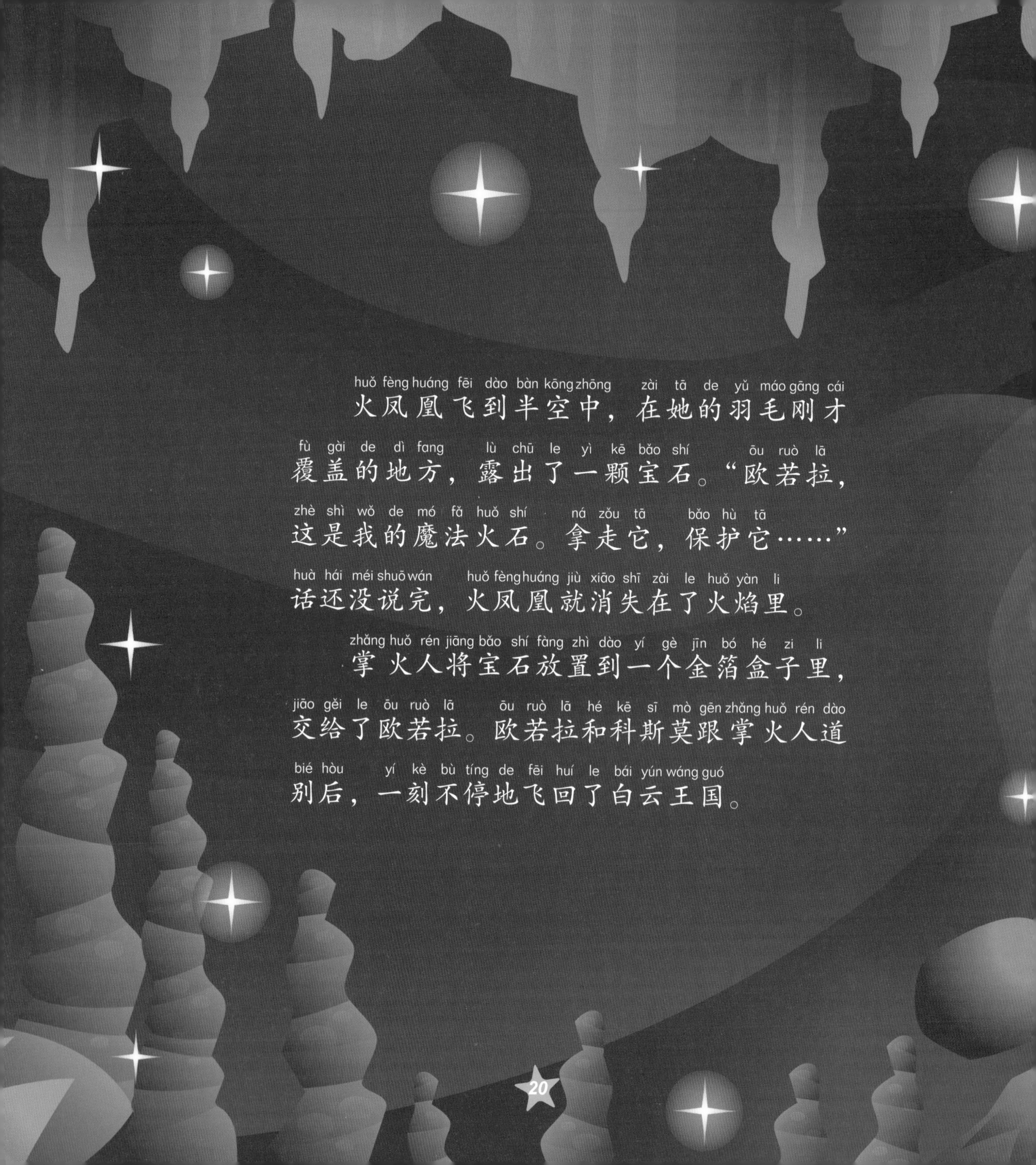

huǒ fèng huáng fēi dào bàn kōng zhōng zài tā de yǔ máo gāng cái
火凤凰飞到半空中，在她的羽毛刚才

fù gài de dì fang lù chū le yì kē bǎo shí ōu ruò lā
覆盖的地方，露出了一颗宝石。“欧若拉，

zhè shì wǒ de mó fǎ huǒ shí ná zǒu tā bǎo hù tā
这是我的魔法火石。拿走它，保护它……”

huà hái méi shuō wán huǒ fèng huáng jiù xiāo shī zài le huǒ yàn li
话还没说完，火凤凰就消失在了火焰里。

zhǎng huǒ rén jiāng bǎo shí fàng zhì dào yí gè jīn bó hé zi li
掌火人将宝石放置到一个金箔盒子里，

jiāo gěi le ōu ruò lā ōu ruò lā hé kē sī mò gēn zhǎng huǒ rén dào
交给了欧若拉。欧若拉和科斯莫跟掌火人道

bié hòu yí kè bù tíng de fēi huí le bái yún wáng guó
别后，一刻不停地飞回了白云王国。

kàn dào ōu ruò lā méi néng dài huí huǒ fèng huáng yī sī ruì ěr dé yì de
看到欧若拉没能带回火凤凰，伊斯瑞尔得意地
dà xiào qi lai jiù zài zhè shí yì zhī xiǎo huǒ fèng huáng cóng ōu ruò lā dài zhe
大笑起来。就在这时，一只小火凤凰从欧若拉带着
de hé zi li fēi le chū lái yī sī ruì ěr yì bǎ chě guò dǒu peng dǎ
的盒子里飞了出来！伊斯瑞尔一把扯过斗篷打
suàn táo pǎo kě dǒu peng què jìng zhí dài tā fēi dào le huǒ yàn shān
算逃跑，可斗篷却径直带她飞到了火焰山。
bào zào de zhǎng huǒ rén zhuā zhù le tā ràng tā zài lú huǒ biān zuò
暴躁的掌火人抓住了她，让她在炉火边做
kǔ lì
苦力。

bái yún wáng guó yòu huī fù le wǎng rì de píng jìng měi tiān qīng chen
白云王国又恢复了往日的平静，每天清晨，
xiǎo huǒ fèng huáng dōu huì bǎ tiān kōng rǎn hóng zhào huàn tài yáng shēng qǐ
小火凤凰都会把天空染红，召唤太阳升起。

拯救群星之旅

yì tiān wǎn shang bái yún gōng zhǔ ōu ruò lā hé xiǎo yīng kē sī mò zhàn zài
一天晚上，白云公主欧若拉和小鹰科斯莫站在
chéng bǎo de lù tái shang tiào wàng měi lì de xīng kōng hū rán xīng kōng zhōng
城堡的露台上，眺望美丽的星空。忽然，星空中
huá guò yí dào guāng xīng xing men yí gè jiē yí gè de bú jiàn le
划过一道光，星星们一个接一个地不见了。

zhè shí shè shǒu xīng zuò de tiān gōng shè shǒu fēi lái xiàng ōu ruò lā qiú
这时，射手星座的天宫射手飞来向欧若拉求
jiù yī sī ruì ěr tōu zǒu le xīng xing tā yào fú lǔ suǒ yǒu de tiān gōng
救："伊斯瑞尔偷走了星星，她要俘虏所有的天宫
dòng wù gāng shuō wán zhè jù huà shè shǒu jiù xiāo shī le
动物。"刚说完这句话，射手就消失了。

ōu ruò lā zhèn jīng wàn fēn tā jué dìng lì kè cǎi qǔ xíng dòng huà jiě zhè chǎng zāi nàn tā zhuàn dòng shǒu shang de yuè liang bǎo shí jiè zhi zhào huàn chū yuè liang nǚ shén lù nà

欧若拉震惊万分，她决定立刻采取行动，化解这场灾难。她转动手上的月亮宝石戒指，召唤出月亮女神露娜。

lù nà dì gěi ōu ruò lā yì zhāng tiān gōng dì tú bìng gào su ōu ruò lā yī sī ruì ěr tōu zǒu le dà fāng zhōu yào xiǎng zǔ zhǐ tā jiù bì xū zhǎo dào dà fāng zhōu dàn yào xiǎo xīn bèi zhuā zǒu de tiān gōng dòng wù yīn wèi tā men zhòng le yī sī ruì ěr de mó zhòu

露娜递给欧若拉一张天宫地图，并告诉欧若拉，伊斯瑞尔偷走了大方舟，要想阻止她就必须找到大方舟。但要小心被抓走的天宫动物，因为他们中了伊斯瑞尔的魔咒。

ōu ruò lā jiē guò dì tú rán hòu dǎ kāi yuè liang bǎo shí ràng bǎo shí zhī guāng huá
欧若拉接过地图，然后打开月亮宝石，让宝石之光划
pò hēi àn jiè zhe guāng liàng ōu ruò lā pá shàng yuè guāng tiān tī kē sī mò fēi zài
破黑暗。借着光亮，欧若拉爬上月光天梯，科斯莫飞在
qián fāng yǐn lù
前方引路。

kē sī mò yí lù xiàng běi fēi xíng cóng yí dào yuè guāng tī tiào dào lìng yí dào yuè guāng
科斯莫一路向北飞行，从一道月光梯跳到另一道月光
tī ōu ruò lā jǐn jǐn de gēn zài tā hòu miàn yí bù yòu yí bù ōu ruò lā zhōng yú
梯，欧若拉紧紧地跟在他后面。一步又一步，欧若拉终于
pá dào le tiān tī zhī dǐng lái dào yí piàn xīng hǎi de biān jì
爬到了天梯之顶，来到一片星海的边际。

“这里应该就是银河了。”欧若拉一边察看天宫地图，一边自言自语，“现在我们需要一条小船过河。”“搅动河里的星尘！”旁边的巨蟹星座发出细微的声音。“谢谢！”欧若拉说。

奇迹发生了！她一搅动星尘，水面上就出现了一只弯月形的木筏。欧若拉和科斯莫赶紧跳上木筏。

欧若拉和科斯莫乘着木筏行驶在黎明潮汐中，沿途经过一个又一个天宫动物的家。但这里早已没有了往日的热闹。

突然，一阵狂风袭来，欧若拉和科斯莫被掀到半空中，又掉进海浪里。就在这危急时分，一只海豚游了过来，救起了欧若拉。

很快，欧若拉和科斯莫就被海豚带到了金色的沙滩。不远处，伫立着那艘巨型的方舟。方舟入口处，天狮迈着步子，紧紧地盯着欧若拉。

“我来救天宫动物们，我必须把他们的星星重新放回天空。”欧若拉一边说，一边慢慢靠近入口。突然，天狮纵身跃起，扑向欧若拉。

这时，科斯莫挺身而出。他飞到天狮的前方，挡住他的去路。欧若拉跳到一边，趁天狮还没反应过来，迅速地跑进大方舟。欧若拉刚一进去，许多天宫动物就拥上来，将欧若拉团团围住。欧若拉劝说大家："只要大家齐心协力，就能化解这场危机。"

天宫动物们看到欧若拉坚定的神情，都觉得不妨跟她一起试试。于是，欧若拉带着大家走出船舱，来到大方舟的甲板上。只见伊斯瑞尔将捕到的星星放在星光气泡里，气泡被悬挂在桅杆上。她威胁天宫动物们，如果不把欧若拉扔下船，她就把他们的星星丢到黑洞里去。

tiān gōng dòng wù men bù gǎn wéi kàng yī sī ruì ěr de mìng lìng què yě bù xiǎng shāng
天宫动物们不敢违抗伊斯瑞尔的命令，却也不想伤

hài ōu ruò lā zhè shí ōu ruò lā xiǎng dào le yí gè hǎo bàn fǎ tā ràng shè shǒu guò
害欧若拉。这时，欧若拉想到了一个好办法。她让射手过

lai jiǎ zhuāng zhuā zhù tā rán hòu chèn jī chōu chū shè shǒu de gōng jiàn shè xiàng xīng guāng qì
来假装抓住她，然后趁机抽出射手的弓箭，射向星光气

pào kē sī mò hé qí tā de tiān gōng dòng wù men yì qǐ dǎng zhù hēi dòng xīng xing men sàn
泡。科斯莫和其他的天宫动物们一起挡住黑洞。星星们散

luò chu lai ān quán de jīng guò hēi dòng huí dào tiān kōng zhōng yuán lái de wèi zhì
落出来，安全地经过黑洞，回到天空中原来的位置。

Mischievous

yī sī ruì ěr qì de jiān jiào qi lai zhè shí yì kē liú xīng huá guò
伊斯瑞尔气得尖叫起来。这时，一颗流星划过，

yī sī ruì ěr gǎn jǐn tiào qi lai zhuā zhù liú xīng de wěi ba xiǎng yào táo pǎo kě
伊斯瑞尔赶紧跳起来抓住流星的尾巴想要逃跑。可

shì liú xīng sù dù fēi kuài sōu de yí xià bǎ tā shuǎi dào le tiān de lìng yì
是流星速度飞快，“嗖”的一下把她甩到了天的另一

biān kě wù de yī sī ruì ěr bù zhī suǒ zōng zài yě bù néng wéi fēi zuò dǎi
边。可恶的伊斯瑞尔不知所踪，再也不能为非作歹

le ōu ruò lā zé hé tiān gōng dòng wù men yì qǐ jià shǐ dà fāng zhōu huí jiā
了。欧若拉则和天宫动物们一起驾驶大方舟回家

le tiān kōng zhōng zài cì qún xīng shǎn shuò
了。天空中再次群星闪烁。

小美人鱼的尾巴

zài dà hǎi shēn chù de shān hú wáng guó shēng huó zhe xiǎo měi rén yú
在大海深处的珊瑚王国，生活着小美人鱼
mǎ lián nà mǎ lián nà duì hǎi yáng wài de shì jiè shí fēn hào qí yì
玛莲娜。玛莲娜对海洋外的世界十分好奇。一
tiān tā rěn bú zhù yóu dào mǔ lì dǎo tā jīng qí de fā xiàn dǎo
天，她忍不住游到牡蛎岛。她惊奇地发现，岛
shang de rén men méi yǒu wěi ba què zhǎng zhe xiū cháng de shuāng tuǐ tā
上的人们没有尾巴，却长着修长的双腿。他
men huì chàng gē tiào wǔ kàn qi lai hěn hé shàn
们会唱歌跳舞，看起来很和善。

mǎ lián nà chū shén de kàn zhe zì jǐ měi lì de wěi ba xiǎng xiàng zhe méi yǒu
玛莲娜出神地看着自己美丽的尾巴，想象着没有
wěi ba de rén lèi huì rú hé shēng huó wèi le nòng míng bai zhè jiàn shì mǎ lián nà
尾巴的人类会如何生活。为了弄明白这件事，玛莲娜
jué dìng dài zhe xiǎo hǎi mǎ kē lǐ yì qǐ qù zhǎo hǎi wū shī yī gé xún qiú tā de bāng
决定带着小海马科里一起去找海巫师伊格，寻求他的帮
zhù tā men yì qǐ xiàng zhe hǎi yáng zuì hēi àn zuì shēn suì de dì fang yóu qù hǎi wū
助。他们一起向着海洋最黑暗最深邃的地方游去，海巫
shī yī gé de dòng xué jiù zài nà lǐ
师伊格的洞穴就在那里。

海巫师伊格知道这个世界上所有的秘密。听了玛莲娜的困惑，他给玛莲娜一瓶魔法油膏，并告诉她：“等到日落时，把这些油膏涂抹在尾巴上，就能长出双腿。到那时，你就可以去人类的世界一探究竟。想回来时，只需在大海的浅水处浸湿双脚就行了。”玛莲娜高兴地接过油膏。

rì luò shí fēn mǎ lián nà zūn cóng yī gé de zhǔ fù bǎ yóu gāo tú zài
日落时分，玛莲娜遵从伊格的嘱咐，把油膏涂在
wěi ba shang zhǐ jiàn yí dào zǐ hóng sè de guāng máng shǎn guò mǎ lián nà cǎi sè de
尾巴上。只见一道紫红色的光芒闪过，玛莲娜彩色的
yú wěi xiāo shī le qǔ ér dài zhī dì shì liǎng tiáo xiū cháng bái xī de tuǐ tuǐ shang
鱼尾消失了！取而代之的是两条修长白皙的腿。腿上
guǒ zhe yì tiáo zhuì mǎn zhēn zhū de qún zi jiǎo shang jì zhe yì shuāng shǎn liàng de wǔ
裹着一条缀满珍珠的裙子，脚上系着一双闪亮的舞
xié mǎ lián nà xīng fèn jí le tā hé kē lǐ yì qǐ yóu chū hǎi miàn xiàng mǔ lì
鞋。玛莲娜兴奋极了，她和科里一起游出海面，向牡蛎
dǎo zǒu qù
岛走去。

lái dào àn shang mǎ lián nà gǎn dào zhuì zhuì bù ān zhè shí yīng jùn de tè lún xī wáng zǐ
来到岸上，玛莲娜感到惴惴不安。这时，英俊的特伦西王子
cháo tā zǒu le guò lái tā yāo qǐng mǎ lián nà cān jiā wǔ huì mǎ lián nà xīn rán jiē shòu le yāo qǐng
朝她走了过来，他邀请玛莲娜参加舞会。玛莲娜欣然接受了邀请。

wǔ huì shang mǎ lián nà de měi lì yōu yǎ mí zhù le suǒ yǒu de rén dà jiā rè qíng yǒu hǎo de
舞会上，玛莲娜的美丽优雅迷住了所有的人。大家热情友好地
zhāo dài mǎ lián nà tè lún xī wáng zǐ péi zhe mǎ lián nà tiào wǔ liáo tiān kuài lè de dù guò zhěng gè
招待玛莲娜。特伦西王子陪着玛莲娜跳舞聊天，快乐地度过整个
wǎn shang
晚上。

lí míng shí fēn tè lún xī wáng zǐ qǐng mǎ lián nà yì qǐ qù hǎi tān sàn bù
黎明时分，特伦西王子请玛莲娜一起去海滩散步。

tā men màn bù zài jīn sè de shā tān shang tè lún xī wáng zǐ xiàng mǎ lián nà jiǎng shù lù
他们漫步在金色的沙滩上，特伦西王子向玛莲娜讲述陆

dì shang gè zhǒng qí yì de gù shi wáng zǐ jīng cháng qù yáo yuǎn de dì fang tàn xiǎn
地上各种奇异的故事。王子经常去遥远的地方探险，

yīn cǐ tā yǒu xǔ duō gù shi jiǎng gěi mǎ lián nà tīng mǎ lián nà tīng zhe tīng zhe
因此他有许多故事讲给玛莲娜听。玛莲娜听着听着，

bèi rén lèi shì jiè shēnshēn de xī yǐn le
被人类世界深深地吸引了。

tè lún xī wáng zǐ qǐng mǎ lián nà yě jiǎngjiang tā shēng huó de dì fang mǎ
特伦西王子请玛莲娜也讲讲她生活的地方。玛
lián nà gào su wáng zǐ zài tā de jiā xiāng dào chù dōu shì shān hú hái yǒu
莲娜告诉王子，在她的家乡，到处都是珊瑚，还有
gè zhǒng měi lì de shēng wù tū rán mǎ lián nà bèi yí gè bèi ké bàn dǎo
各种美丽的生物。突然，玛莲娜被一个贝壳绊倒
le yì jiǎo diē jìn le hǎi li
了，一脚跌进了海里。

dùn shí tā de shuāng tuǐ biàn chéng shǎn shǎn fā guāng de yú wěi tā zhǐ
顿时，她的双腿变成闪闪发光的鱼尾！她只
hǎo qián rù shuǐ zhōng yóu le chū qù rán hòu zhuàn guò shēn xiàng tè lún xī wáng zǐ
好潜入水中游了出去，然后转过身向特伦西王子
huī shǒu
挥手。

wáng zǐ dà chī yì jīng yīn wèi tā zǒng tīng shuō měi rén yú bú yuàn yì jiē jìn rén
王子大吃一惊，因为他总听说美人鱼不愿意接近人

lèi wèi le ràng rén lèi gèng duō de liǎo jiě hǎi dǐ rén yú de shēng huó mǎ lián nà jué
类。为了让人类更多地了解海底人鱼的生活，玛莲娜决

dìng yāo qǐng wáng zǐ qù cān guān tā shēng huó de shì jiè
定邀请王子去参观她生活的世界。

tā bǎ mó fǎ yóu gāo gěi le wáng zǐ wáng zǐ qǔ chū yóu gāo mǒ zài tuǐ shang
她把魔法油膏给了王子，王子取出油膏抹在腿上。

yí dào liàng guāng shǎn guò zhī hòu wáng zǐ de shuāng tuǐ biàn chéng le shǎn liàng de yú wěi
一道亮光闪过之后，王子的双腿变成了闪亮的鱼尾。

tè lún xī wáng zǐ kāi xīn de yuè rù shuǐ zhōng
特伦西王子开心地跃入水中。

wáng zǐ suí zhe mǎ lián nà yóu dào hǎi dǐ tā fā xiàn shān hú wáng guó bǐ mǎ lián
王子随着玛莲娜游到海底，他发现珊瑚王国比玛莲
nà miáo shù de hái yào shén qí mǎ lián nà de péng you men hěn gāo xìng rèn shí tè lún xī
娜描述的还要神奇。玛莲娜的朋友们很高兴认识特伦西
wáng zǐ mǎ lián nà gào su tā men zhè wèi wáng zǐ shì rén lèi zhǐ shì zài yóu gāo
王子。玛莲娜告诉他们，这位王子是人类，只是在油膏
de mó lì xià cái zhǎng chū le wěi ba mǎ lián nà de péng you men jīng dāi le tā
的魔力下，才长出了尾巴。玛莲娜的朋友们惊呆了，他
men bù gǎn xiāng xìn rén lèi jū rán zhè me shàn liáng yǒu hǎo
们不敢相信人类居然这么善良友好。

yí gè yuè hòu wáng zǐ yāo qǐng mǎ lián nà hé péng you men qù mǔ lì dǎo cān jiā
一个月后，王子邀请玛莲娜和朋友们去牡蛎岛，参加
huáng jiā jiā nián huá wǔ huì dāng wáng zǐ de péng you men dé zhī mǎ lián nà shì měi rén yú
皇家嘉年华舞会。当王子的朋友们得知玛莲娜是美人鱼，
jì chī jīng yòu xīng fèn
既吃惊又兴奋。

mǎ lián nà hé péng you men biǎo yǎn le jīng cǎi de huā yàng yóu yǒng qìng zhù rén yú hé
玛莲娜和朋友们表演了精彩的花样游泳，庆祝人鱼和
rén lèi de dì yī cì lián huān zhè yì wǎn kōng zhōng yān huā cuǐ càn
人类的第一次联欢。这一晚，空中烟花璀璨，
dà jiā yì qǐ chàng gē tiào wǔ dōu chéng le hǎo péng you
大家一起唱歌跳舞，都成了好朋友。

金帽子公主

ā mǐ lì ā gōng zhǔ guò shēng rì shí nǎi nai sòng gěi tā yí jiàn jīn sè sī duàn
阿米莉亚公主过生日时，奶奶送给她一件金色丝缎
dǒu péng dǒu peng de lǐng kǒu zhuì mǎn le zuàn shí xiōng qián hái yǒu yì kē lán bǎo shí niǔ
斗篷。斗篷的领口缀满了钻石，胸前还有一颗蓝宝石纽
kòu zhè jiàn dǒu peng chéng le ā mǐ lì yà de zuì ài wú lùn tā qù nǎ er dōu
扣。这件斗篷成了阿米莉亚的最爱。无论她去哪儿，都
yào chuān shàng dǒu peng rén men dōu chēng tā wéi jīn mào zi gōng zhǔ zhè tiān ā
要穿上斗篷。人们都称她为“金帽子公主”。这天，阿
mǐ lì yà dài zhe mā ma zhǔn bèi hǎo de shí wù dǎ suàn qù nǎi nai jiā zuò kè
米莉亚带着妈妈准备好的食物，打算去奶奶家做客。

ā mǐ lì yà dài zhe tā de chǒng wù xiǎo gǒu xiǎo mó gu xiàng nǎi nai jiā chū fā
阿米莉亚带着她的宠物小狗小蘑菇，向奶奶家出发

le yí lù shang xiǎo mó gu fēi cháng xīng fèn piào liang de fēng jǐng xī yǐn zhe tā de
了。一路上，小蘑菇非常兴奋。漂亮的风景吸引着它的

mù guāng fēi wǔ de hú dié zhǐ yǐn zhe tā de jiǎo bù xiǎo mó gu bù zhī bù jué piān lí
目光，飞舞的蝴蝶指引着它的脚步，小蘑菇不知不觉偏离

le dà lù pǎo jìn le shù lín ā mǐ lì yà yí lù zhuī gǎn xiǎo gǒu děng zhōng yú zhuā
了大路，跑进了树林。阿米莉亚一路追赶小狗，等终于抓

zhù tā shí cái fā xiàn tā men zǎo yǐ pǎo jìn le mì lín shēn chù mí lù le
住它时才发现，他们早已跑进了密林深处，迷路了。

此时，阿米莉亚还不知道危险已经悄悄降临了。一只狼正躲在树后，观察着他们，跟随着他们。当阿米莉亚朝这边走来时，狼先生从树后一下跳了出来。他一副绅士的模样，彬彬有礼地说：“午安，美丽的公主！”阿米莉亚非常吃惊，她没想到会遇到狼，吓得后退了一步。

hòu lái ā mǐ lì yà kàn dào láng xiān sheng zhè me yǒu shàn jiù rú shí de
后来，阿米莉亚看到狼先生这么友善，就如实地
gào su tā zì jǐ zhǔn bèi qù nǎi nai jiā hē xià wǔ chá tā hái dǎ kāi lán zi
告诉他，自己准备去奶奶家喝下午茶。她还打开篮子，
qǐng láng xiān sheng pǐn cháng lǐ miàn de diǎn xīn
请狼先生品尝里面的点心。

láng xiān sheng gǎn jǐn tiāo le yí kuài zuì dà de dàn gāo sān kǒu liǎng kǒu jiù tūn
狼先生赶紧挑了一块最大的蛋糕，三口两口就吞
xià le dù jiē zhe láng xiān sheng zhǔ dòng tí chū qù gěi nǎi nai shāo gè xìn er
下了肚。接着，狼先生主动提出去给奶奶捎个信儿。
láng xiān sheng wèi shén me huì zhè me hǎo xīn ne yuán lái tān lán de láng xiān sheng xiǎng
狼先生为什么会这么好心呢？原来，贪婪的狼先生想
yào chī gèng duō de shí wù
要吃更多的食物！

láng xiān sheng lái dào nǎi nai jiā mén kǒu tā yā dī sǎng yīn shuō wǒ shì
狼先生来到奶奶家门口。他压低嗓音说："我是
yí gè fá mù gōng ā mǐ lì yà zài shù lín li mí lù le yào wǎn yì xiē
一个伐木工，阿米莉亚在树林里迷路了，要晚一些
cái néng guò lai tīng dào ā mǐ lì yà mí lù le nǎi nai méi yǒu duō xiǎng
才能过来。"听到阿米莉亚迷路了，奶奶没有多想
jiù dǎ kāi le mén láng xiān sheng yí xià chōng jìn xiǎo kè tīng méi děng nǎi nai
就打开了门。狼先生一下冲进小客厅，没等奶奶
fǎn yìng guo lai jiù bǎ cān zhuō shang suǒ yǒu de shí wù dōu tūn jìn le
反应过来，就把餐桌上所有的食物都吞进了
dǔ zi nǎi nai shēng qì jí le
肚子！奶奶生气极了！

ā mǐ lì yà hé xiǎo mó gu zhōng yú zǒu chū le shù lín hěn kuài
阿米莉亚和小蘑菇终于走出了树林。很快，
tā men jiù lái dào le nǎi nai jiā fù jìn zhè shí ā mǐ lì yà hū rán
她们就来到了奶奶家附近。这时，阿米莉亚忽然
tīng dào le nǎi nai de jiān jiào shēng tā jí jí máng máng chōng xiàng xiǎo wū
听到了奶奶的尖叫声。她急急忙忙冲向小屋。
láng xiān sheng cóng chuāng hu li kàn dào le ā mǐ lì yà jiù gǎn jǐn wǎng wài
狼先生从窗户里看到了阿米莉亚，就赶紧往外
pǎo chōng xiàng le mén qián de shuì lián chí kě shì chī tài duō de láng xiān
跑，冲向了门前的睡莲池。可是，吃太多的狼先
sheng méi fǎ zhǎng wò píng héng pū tōng yì shēng diào jìn le shuǐ chí li
生没法掌握平衡，“扑通”一声掉进了水池里。

阿米莉亚跑到睡莲池边，看到一脸愧色的狼先生在水里冻得瑟瑟发抖。善良的阿米莉亚把狼先生救了上来。她脱下斗篷给狼先生裹上，还拖着狼先生来到小屋的炉火边取暖。奶奶气愤地告诉阿米莉亚：“这真是一只贪心的狼，你不应该帮助他。”

但阿米莉亚很同情这只可怜的狼，认为他已经受到了惩罚。渐渐暖和起来的狼先生觉得非常惭愧，他向阿米莉亚和奶奶道了歉，并保证一定吸取教训，再也不会这么贪婪了。

奶奶原谅了狼先生，并在他恢复以后送走了他。现在，阿米莉亚和奶奶终于可以享用她们的下午茶了。

那天晚上，阿米莉亚回家的时候，是狼先生陪着她一路走到王宫门口。

为了回报阿米莉亚的宽宏大度，狼先生许诺，他以后要做金帽子公主的护卫，保护她不受到任何伤害。从那以后，阿米莉亚公主和狼先生就结下了伟大的友谊。

yí gè yángguāng míng mèi de shàng wǔ zài měi lì de mènghuàn cǎo yuán
一个阳光明媚的上午，在美丽的梦幻草原
shang xiān zǐ lì yà zhèng zài jiāo yì qún xiǎo xiān zǐ xué xí fēi wǔ yì nián
上，仙子莉亚正在教一群小仙子学习飞舞。一年
yí dù de xià rì wǔ huì jí jiāng dào lái tā men dǎ suàn zài lóng zhòng de
一度的夏日舞会即将到来，她们打算在隆重的
shèng huì shang biǎo yǎn fēi tiān bā lěi wǔ lì yà yì biān xiàng xiǎo xiān zǐ men
盛会上表演飞天芭蕾舞。莉亚一边向小仙子们
jiǎng jiě fēi xíng de dòng zuò yì biān gǔ lì dà jiā yào xiāng xìn zì jǐ xiǎo
讲解飞行的动作，一边鼓励大家要相信自己。小
xiān zǐ men zài lì yà de zhǐ dǎo xià nǔ lì de liàn xí
仙子们在莉亚的指导下努力地练习。

rán ér xiōng hàn de jì cǎo huā xiān zǐ bèi lǎng nī hěn bù fú qì tā rèn wéi zì jǐ de fēi xíng
然而，凶悍的蓟草花仙子贝朗妮很不服气。她认为自己的飞行

jì qiǎo bǐ lì yà gāo chū yí dà jié tā cái yǒu zī gé zuò xiǎo xiān zǐ de fēi wǔ lǎo shī yú shì
技巧比莉亚高出一大截，她才有资格做小仙子的飞舞老师。于是，

bèi lǎng nī xiǎng chū le yí gè huài zhǔ yi hēng wǒ děi bǎ lì yà nòng dào yáng chǐ cǎo shān qiū de hēi
贝朗妮想出了一个坏主意。“哼，我得把莉亚弄到羊齿草山丘的黑

dòng li qù ràng tā zài nà biān dān ge yí zhèn zi wǒ jiù kě yǐ zuò guāng róng de fēi wǔ lǎo shī le
洞里去。让她在那边耽搁一阵子，我就可以做光荣的飞舞老师了。”

nà tiān xià wǔ mènghuàn cǎo yuán de xiān hòu sòng gěi lì yà yí miàn
那天下午，梦幻草原的仙后送给莉亚一面
piào liang de xīng xing bǎo jìng xiān hòu rèn wéi lì yà fǔ dǎo xiǎo huā xiān zǐ
漂亮的星星宝镜。仙后认为莉亚辅导小花仙子
liàn xí fēi wǔ lǐ yīng dé dào jiǎng lì xiān hòu gào su lì yà nǎ
练习飞舞，理应得到奖励。仙后告诉莉亚：“哪
pà yǒu yì tiān nǐ shēn chǔ hēi àn zhī dì zhè miàn bǎo jìng de xīng guāng
怕有一天，你身处黑暗之地，这面宝镜的星光
yě huì gěi nǐ lì liàng dài nǐ ān quán huí jiā lì yà shí fēn kāi
也会给你力量，带你安全回家。”莉亚十分开
xīn tā xiàng xiān hòu biǎo shì le gǎn xiè
心，她向仙后表示了感谢。

这天，莉亚正在上课，贝朗妮惊慌失措地冲了过来。她一边跑一边叫：“不好啦，一个小仙子掉进羊齿草山丘的黑洞里去了，快去救救她呀！”那个山洞非常危险，小仙子掉进去凶多吉少。莉亚决定带着蜜蜂巴布马上去营救小仙子，贝朗妮则留在这里照看其他小仙子。

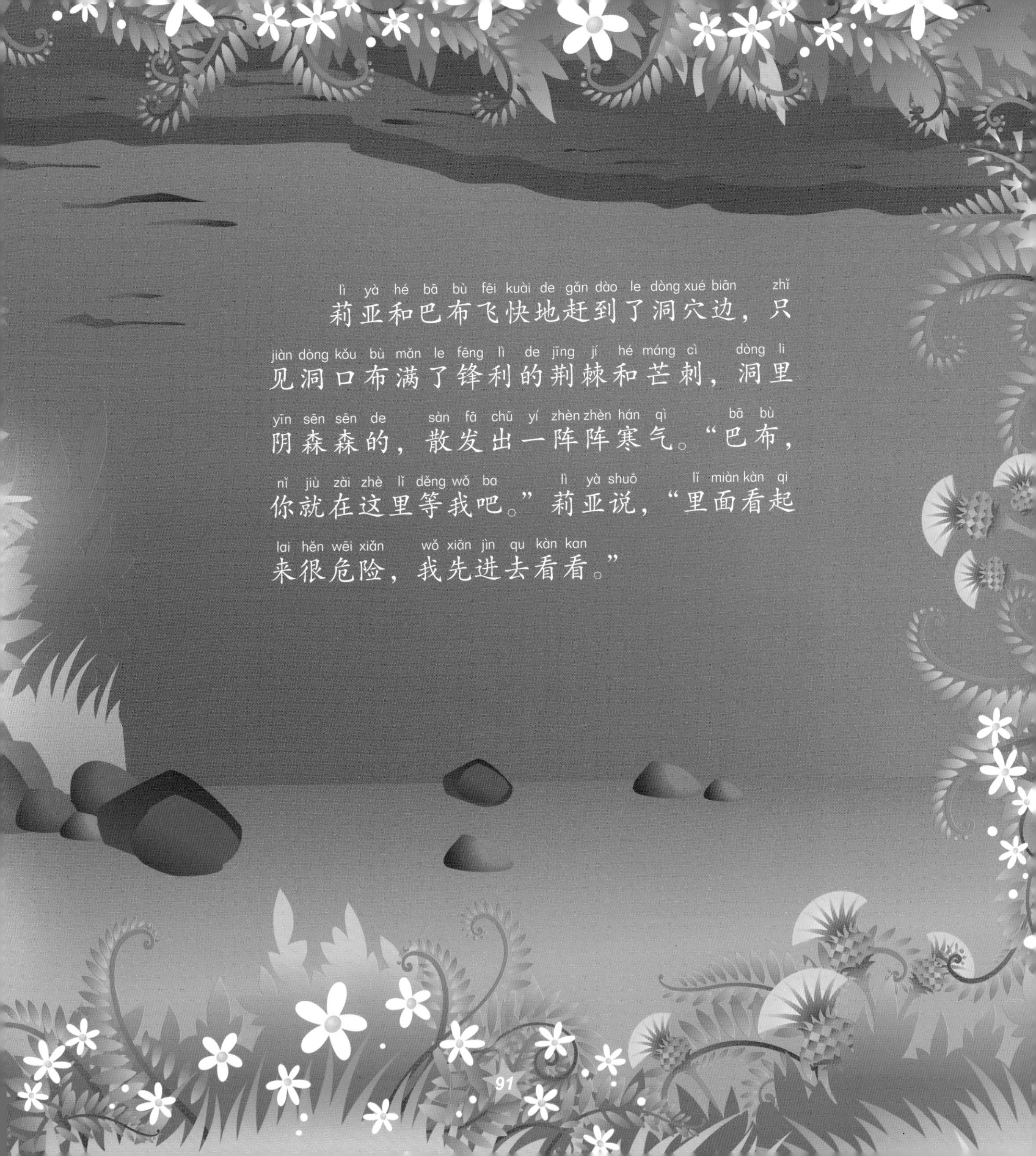

莉亚和巴布飞快地赶到了洞穴边，只见洞口布满了锋利的荆棘和芒刺，洞里阴森森的，散发出一阵阵寒气。“巴布，你就在这里等我吧。”莉亚说，“里面看起来很危险，我先进去看看。”

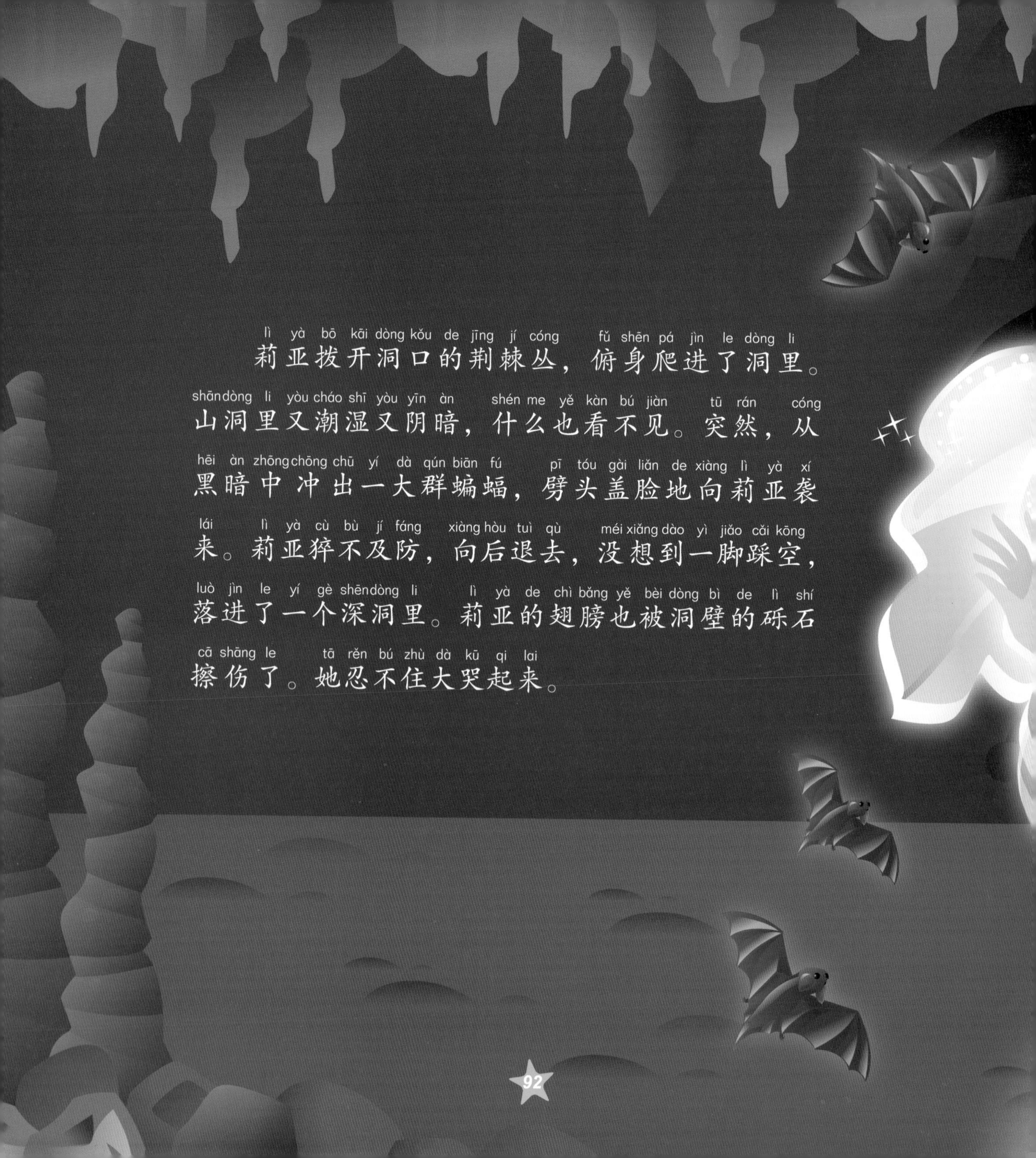

lì yà bō kāi dòng kǒu de jīng jí cóng fǔ shēn pá jìn le dòng li
莉亚拨开洞口的荆棘丛，俯身爬进了洞里。
shān dòng li yòu cháo shī yòu yīn àn shén me yě kàn bú jiàn tū rán cóng
山洞里又潮湿又阴暗，什么也看不见。突然，从
hēi àn zhōng chōng chū yí dà qún biān fú pī tóu gài liǎn de xiàng lì yà xí
黑暗中冲出一大群蝙蝠，劈头盖脸地向莉亚袭
lái lì yà cù bù jí fáng xiàng hòu tuì qù méi xiǎng dào yì jiǎo cǎi kōng
来。莉亚猝不及防，向后退去，没想到一脚踩空，
luò jìn le yí gè shēn dòng li lì yà de chì bǎng yě bèi dòng bì de lì shí
落进了一个深洞里。莉亚的翅膀也被洞壁的砾石
cā shāng le tā rěn bú zhù dà kū qi lai
擦伤了。她忍不住大哭起来。

guò le yí huì er lì yà tíng zhǐ le kū qì tā zhī dào xiàn zài
过了一会儿，莉亚停止了哭泣，她知道现在
kū qì shì méi yǒu yòng de tā pāi pai shēnshang de huī chén zhàn le qǐ
哭泣是没有用的。她拍拍身上的灰尘，站了起
lái hū rán lì yà xiǎng qǐ le xiān hòu sòng gěi tā de nà miàn xīng xing
来。忽然，莉亚想起了仙后送给她的那面星星
bǎo jìng tā gǎn jǐn bǎ tā cóng kǒu dai li ná chu lai
宝镜，她赶紧把它从口袋里拿出来。

hēi àn zhōng bǎo jìng shang de xīng xing kāi shǐ shǎn guāng le yì kāi
黑暗中，宝镜上的星星开始闪光了，一开
shǐ shì wēi ruò de àn guāng rán hòu guāng xiàn yuè lái yuè liàng zhí dào zhào
始是微弱的暗光，然后光线越来越亮，直到照
liàng le zhěng gè dòng xué lì yà nǔ lì de shān dòng chì bǎng zhōng yú fēi
亮了整个洞穴。莉亚努力地扇动翅膀，终于飞
chū le shēndòng bìng qiě zài bǎo jìng de zhào yào xià shùn lì de zhǎo dào le
出了深洞，并且在宝镜的照耀下，顺利地找到了
shāndòng de chū kǒu
山洞的出口。

lì yà hé bā bù fēi le huí qù zài yì qún xiǎo xiān
莉亚和巴布飞了回去。在一群小仙

zǐ zhōng jiān tā men zhǎo dào le bèi lǎng nī kàn dào lì yà bèi
子中间，他们找到了贝朗妮。看到莉亚被

cā shāng de chì bǎng bèi lǎng nī shí fēn hòu huǐ tā kū zhe duì lì yà shuō
擦伤的翅膀，贝朗妮十分后悔。她哭着对莉亚说：

duì bu qǐ wǒ shuō le huǎng gēn běn méi yǒu xiǎo xiān zǐ shī zōng shì wǒ xiǎng jiāo fēi
“对不起，我说了谎，根本没有小仙子失踪。是我想教飞

wǔ kè suǒ yǐ cái bǎ nǐ zhī kāi shàn liáng de lì yà yuán liàng le tā bìng jué dìng
舞课，所以才把你支开。”善良的莉亚原谅了她，并决定

hé bèi lǎng nī yì qǐ jiāo shòu fēi wǔ kè
和贝朗妮一起教授飞舞课。

莉亚和贝朗妮工作得非常出色，在随后举行的夏日舞会上，小花仙子们表演了一场史无前例的优美的空中芭蕾。从那以后，莉亚和贝朗妮就成了教授飞舞课的两位金牌教师。毫无疑问，梦幻草原的小花仙子们的飞舞技巧也越来越高超啦。